ESSAI

SUR

LES PRIVILÉGES.

NOUVELLE ÉDITION.

1789.

ESSAI
SUR
LES PRIVILÉGES (1).

ON a dit que le Privilége est *dispense pour celui qui l'obtient, & découragement pour les autres.* S'il en est ainsi, convenez que c'est une pauvre invention que celle des Priviléges. Imaginons une société la mieux constituée et la plus heureuse possible ; n'est-il pas clair que, pour la bouleverser, il ne faudra que dispenser les uns et décourager les autres ?

J'aurois voulu examiner les Priviléges dans leur origine, dans leur nature, et dans leurs effets. Mais cette division, toute méthodique qu'elle est, m'eût forcé de revenir trop souvent sur les mêmes idées. D'ailleurs, quant à l'origine, elle m'eût jeté dans une fastidieuse et interminable discussion de faits ; car, que ne trouve-t-on

(1) La première édition de cet Opuscule a paru en Novembre 1788.

pas dans les faits, en cherchant comme l'on cherche ? J'aime encore mieux supposer, si l'on m'y force, aux Priviléges, l'origine la plus pure. Leurs partisans, c'est-à-dire, à-peu-près tous ceux qui en profitent, ne peuvent demander davantage.

Tous les Priviléges, sans distinction, ont certainement pour objet ou de *dispenser* de la loi, ou de donner un *droit exclusif* à quelque chose qui n'est pas défendu par la loi. L'essence du Privilége est d'être hors du droit commun, et l'on ne peut en sortir que de l'une ou de l'autre de ces deux manières. En saisissant donc notre sujet sous ce double point-de-vue, on doit convenir que tous les Priviléges, à la fois, seront à juste titre enveloppés dans le jugement qui pourra résulter de cet examen.

Demandons-nous d'abord quel est l'objet de la loi. C'est sans doute d'empêcher qu'il ne soit porté atteinte à la liberté ou à la propriété de quelqu'un. On ne fait pas des loix pour le plaisir d'en faire. Celles qui n'auroient pour effet que de gêner mal-à-propos la liberté des Citoyens, seroient contraires à la fin de toute association ; il faudroit se hâter de les abolir.

Il est une *loi-mère* d'où toutes les autres doivent découler : *ne fais point de tort à autrui.* C'est cette grande loi naturelle que le Législateur distribue en quelque sorte en détail par les diverses applications qu'il en fait pour le bon ordre de la société ; de-là sortent toutes les loix positives. Celles qui peuvent empêcher qu'on ne fasse du tort à autrui, sont bonnes ; celles qui ne serviroient à ce but ni médiatement, ni imédiatement, quand même elles ne manifesteroient point une intention malfaisante, sont pourtant mauvaises ; car, d'abord, elles gênent la liberté ; et puis, ou elles tiennent la place des véritablement bonnes loix, ou au moins elles les repoussent de toutes leurs forces.

Hors de la loi, tout est libre : hors de ce qui est garanti à quelqu'un par la loi, chaque chose appartient à tous.

Cependant, tel est le déplorable effet du long asservissement des esprits, que les Peuples, loin de connoître leur vraie position sociale, loin de sentir qu'ils ont le droit même de faire révoquer les mauvaises loix, en sont venus jusqu'à croire que rien n'est à eux, que ce que la loi, bonne ou mauvaise, veut bien leur accorder. Ils semblent ignorer que la liberté, que la propriété sont antérieures à tout; que les hommes, en s'associant, n'ont pu avoir pour objet que de mettre leurs droits à couvert des entreprises des méchans, et de se livrer, en même-temps, à l'abri de cette sécurité, à un développement de leurs facultés morales et physiques, plus étendu, plus énergique, et plus fécond en jouissances; qu'ainsi, leur propriété accrue de tout ce qu'une nouvelle industrie a pu y ajouter dans l'état social, est bien à eux, et ne sauroit jamais être considérée comme le don d'un pouvoir étranger; que l'autorité tutélaire est établie par eux; qu'elle l'est, non pour accorder ce qui leur appartient, mais pour le protéger; et qu'enfin, chaque Citoyen, indistinctement, a un droit inattaquable, non à ce que la loi permet, puisque la loi n'a rien à permettre, mais à tout ce qu'elle ne défend pas.

A l'aide de ces principes élémentaires, nous pouvons déjà juger les priviléges. Ceux qui auroient pour objet de dispenser de la loi, ne peuvent se soutenir; toute loi, avons-nous observé, dit ou directement ou indirectement, *ne fais pas tort à autrui;* ce seroit donc dire aux privilégiés : *permis à vous de faire tort à autrui.* Il n'est pas de pouvoir à qui il soit donné de faire une telle concession. Si la loi est bonne, elle doit obliger tout le monde; si elle est mauvaise, il faut l'anéantir : elle est un attentat contre la liberté.

Pareillement, on ne peut donner à personne un droit exclusif à ce qui n'est pas défendu par la loi; ce seroit ravir aux Citoyens une portion de leur liberté. Tout ce qui n'est pas défendu par la loi, avons-nous observé aussi, est du domaine de la liberté civile, et appartient à tout le monde. Accorder un privilége exclusif à quelqu'un sur ce qui appartient à tout le monde, ce seroit faire tort à tout le monde pour quelqu'un. Ce qui présente à la fois l'idée de l'injustice et de la plus absurde déraison.

Tous les priviléges sont donc par la nature des choses, injustes, odieux et contradictoires à la fin suprême de toute société politique.

Les priviléges *honorifiques* ne peuvent être sauvés de la proscription générale, puisqu'ils ont un des caractères que nous venons de citer, celui de donner un droit exclusif à ce qui n'est pas défendu par la loi ; sans compter que sous le titre hypocrite de priviléges honorifiques, il n'est presque point de profit pécuniaire qu'ils ne tendent à envahir. Mais comme, même parmi les bons esprits, on en trouve plusieurs qui se déclarent pour ce genre de priviléges, ou du moins qui demandent grace pour eux, il est bon d'examiner avec attention, si réellement ils sont plus excusables que les autres.

Pour moi, je le dirai franchement, je leur trouve un vice de plus, et ce vice me paroît énorme. C'est qu'ils tendent à avilir le grand corps des Citoyens, et certes, ce n'est pas un petit mal fait aux hommes, que de les avilir. Concevra-t-on jamais qu'on ait pu consentir à vouloir ainsi humilier vingt-cinq millions huit cent mille individus, pour en honorer ridiculement deux cent mille ? Le sophiste le plus adroit voudroit-il bien nous montrer dans une combinaison aussi anti-sociale, ce qu'il peut y voir de conforme à l'intérêt général ?

Le titre le plus favorable à la concession d'un privilége honorifique, seroit d'avoir rendu un grand service à la Patrie, c'est-à-dire, à la Nation qui ne peut être que la généralité des Citoyens. Eh bien ! récompensez le membre qui a bien mérité du corps ; mais n'ayez pas l'absurde folie de rabaisser le corps vis-à-vis du membre. L'ensemble des Citoyens est toujours la chose principale, la chose qui est servie. Doit-elle, en aucun sens, être sacrifiée au serviteur à qui il n'est dû un prix que pour l'avoir servie ?

Une contradiction aussi choquante auroit dû se faire généralement sentir ; et pourtant notre résultat paroîtra peut-être nouveau, ou du moins fort étrange. A cet égard il existe, parmi nous, une superstition invétérée qui repousse la raison, et s'offense même du doute. Quelques peuples sauvages se plaisent à de ridicules difformités, et leur rendent l'hommage dû aux charmes naturels. Chez les Nations Hyperboréennes, c'est à des excroissances politiques, bien plus difformes, et sur-tout bien autrement nuisibles, puisqu'elles rongent et ruinent le corps social, que l'on prodigue de stupides hommages. Mais la superstition passe, et le corps qu'elle dégradoit, reparoît dans toute sa force et sa beauté naturelle.

Quoi ! dira-t-on, est-ce que vous ne voulez pas reconnoître les services rendus à l'Etat ? Pardonnez-moi, mais je ne fais consister les récompenses de l'Etat en aucune chose qui soit injuste ou avilissante ; il ne faut pas récompenser quelqu'un aux dépens d'un autre, et sur-tout aux dépens de presque tous les autres. Ne confondons point ici deux choses aussi différentes que le sont les *Priviléges* et les *récompenses*.

Parlez-vous de services ordinaires ? Il existe pour les acquitter, des salaires ordinaires, ou des gratifications de même nature. S'agit-il d'un service important, ou d'une action d'éclat ? offrez un avancement rapide de grade, ou un emploi distingué, en proportion des talens de celui que vous avez à récompenser. Enfin, s'il le faut, ajoutez la ressource d'une pension, mais dans un très-petit nombre de cas, et seulement, lorsqu'à raison des circonstances, telles que vieillesse, blessures, etc. aucun autre moyen ne peut tenir lieu de récompense suffisante.

Ce n'est pas assez, dites-vous ; il nous faut encore des distinctions apparentes ; nous voulons nous assurer les égards et la considération publique....

A mon tour, je dois vous répondre que la véritable distinction est dans le service que vous avez rendu à la Patrie, à l'humanité, et que les égards et la considération publique ne peuvent manquer d'aller où ce genre de mérite les appelle.

Laissez, laissez le Public dispenser librement les témoignages de son estime. Lorsque dans vos vues philosophiques vous la regardez, cette estime, comme une monnoie morale, puissante par ses effets, vous avez raison ; mais si vous voulez que le Prince s'en arroge la distribution, vous vous égarez dans vos idées ; la Nature, plus philosophe que vous, a placé la vraie source de la considération dans les sentimens du Peuple. C'est que chez le Peuple sont les vrais besoins ; là, réside la Patrie, à laquelle les hommes supérieurs sont appelés à consacrer leurs talens ; là, par conséquent, devoit être déposé le trésor des récompenses qu'ils peuvent ambitionner.

Les événemens aveugles, les mauvaises

lois plus aveugles encore, ont conspiré contre la multitude. Elle a été déshéritée, privée de tout. Il ne lui reste que le pouvoir d'honorer de son estime ceux qui la servent; elle n'a plus que ce moyen d'exciter encore des hommes dignes de la servir : voulez-vous la dépouiller de son dernier bien, de sa dernière réserve, et rendre ainsi sa propriété même la plus intime, inutile à son bonheur?

Les administrateurs ordinaires, après avoir ruiné, avili le grand corps des Citoyens, s'accoutument aisément à le négliger. Ils dédaignent, ils méprisent presque de bonne foi un Peuple qui ne peut jamais être devenu méprisable que par leur crime. S'ils s'en occupent encore, ce n'est que pour en punir les fautes. Leur colère veille sur le Peuple, leur tendresse n'appartient qu'aux privilégiés. Mais alors même la vertu et le génie s'efforcent encore de remplir la destination de la Nature. Une voix secrète parle sans cesse au fond des ames énergiques et pures, en faveur des foibles. Oui, les besoins sacrés du Peuple seront éternellement l'objet adoré des méditations du philosophe indépendant, le but secret ou public des soins et des sacrifices du Citoyen vertueux. Le pauvre, à la vérité, ne répond à ses bienfaiteurs que par des bénédictions ; mais, que cetre récompense est supérieure à toutes les faveurs du pouvoir ! Ah ! laissez le prix de la considération publique couler librement du sein de la Nation pour acquitter sa dette envers le génie et la vertu. Gardons-nous de violer les sublimes rapports d'humanité que la Nature a été attentive à graver dans le fond de nos cœurs. Applaudissons à cet admirable commerce de bienfaits et d'hommages qui s'établit, pour la consolation de la terre, entre les besoins des Peuples reconnoissans, et les grands hommes surabondamment payés de tous leurs services par un simple tribut de reconnoissance. Tout est pur dans cet échange ; il est fécond en vertus, puissant en bonheur tant qu'il n'est point troublé dans sa marche naturelle et libre.

Mais, si la Cour s'en empare, je ne vois plus dans l'estime publique qu'une monnoie altérée par les combinaisons d'un indigne monopole. Bientôt, de l'abus qu'on en fait, doit sortir et se déborder sur toutes les classes de Citoyens l'immoralité la plus audacieuse. Les signaux convenus pour appeler la considération sont mal placés, ils en égarent le sentiment. Chez la plupart des hommes, ce sentiment finit par se corrompre par l'alliance même à laquelle on le force ; comment échaperoit-il au poison des vices auxquels il prend l'habitude de s'attacher ? Chez le petit nombre de gens éclairés, l'estime se retire au fond du cœur, indignée du rôle honteux auquel on prétendoit la soumettre ; il n'y a donc plus d'estime réelle : et pourtant son langage, son maintien subsistent dans la société, pour prostituer de faux honneurs publics, aux intrigans, aux favoris, souvent aux hommes les plus coupables.

Dans un tel désordre de mœurs, le génie est persécuté ; la vertu est ridiculisée ; et, à côté, une foule de signes et de décorations diversement bigarrées commandent impérieusement le respect et les égards envers la médiocrité, la bassesse et le crime. Comment les honneurs ne parviendroient-ils pas à étouffer l'honneur, à corrompre tout-à-fait l'opinion, et à dégrader toutes les ames ?

En vain prétendriez-vous que, vertueux vous-même, vous ne confondrez jamais le charlatan habile, ou le vil courtisan, avec le bon serviteur qui présente de justes titres aux récompenses publiques : à cet égard, l'expérience atteste vos nombreuses erreurs. Et après tout, ne devez-vous pas convenir au moins, que ceux à qui vous avez livré vos étranges brevets d'honneur, peuvent ensuite dégénérer dans leurs sentimens, dans leurs actions ? Ils continueront pourtant à exiger, à attirer les hommages de la multitude. Ce sera donc pour des Citoyens indignes, pour des hommes notés peut-être par nos justes mépris, que vous aurez aliéné sans retour, une portion de la considération publique.

Il n'en est pas ainsi de l'estime qui émane des Peuples. Nécessairement libre, elle se retire lorsqu'elle cesse d'être méritée. Plus pure dans son principe, plus naturelle dans ses mouvemens, elle est aussi plus certaine dans sa marche, plus utile dans ses effets. Elle est le seul prix toujours proportionné à l'ame du Citoyen vertueux ; le seul, propre à inspirer de bonnes actions, & non à irriter la soif de la vanité & de l'orgueil ; le seul qu'on puisse rechercher, & obtenir sans manœuvres et sans bassesse.

Encore une fois, laissez les Citoyens faire les honneurs de leurs sentimens, et se livrer d'eux-mêmes à cette expression si flatteuse, si encourageante, qu'ils savent leur donner comme par inspiration; et vous connoîtrez alors au libre concours de toutes les ames qui ont de l'énergie, aux efforts multipliés dans tous les genres de bien, ce que doit produire, pour l'avancement social, le grand ressort de l'estime publique (1).

Mais votre paresse et votre orgueil s'accommodent mieux des Priviléges. Je le vois, vous demandez moins à être distingué *par* vos Concitoyens, que vous ne cherchez à être distingué *de* vos Concitoyens (2). Le voilà donc manifesté, ce sen-

---

(1) Je parle, au surplus, d'une Nation libre ou qui va le devenir. Il est bien certain que la dispensation des honneurs publics ne peut point appartenir à un Peuple esclave. Chez un Peuple esclave, la monnoie morale est toujours fausse, quelle que soit la main qui la distribue.

(2) Quand on devroit accuser cette note d'être un

timent secret, ce desir inhumain, plein d'orgueil, et pourtant si honteux, que vous

---

peu *métaphysique*, sans connoître la valeur de ce mot devenu si effrayant pour les esprits inattentifs, je dirai que la distinction *de* n'est rien que *différence* : elle appartient aux deux termes à la fois ; car, si *A* est distingué *de B*, il est clair que, par la même raison, *B* sera distingué *de A*. Ainsi *A* et *B* sont entr'eux, comme l'on dit, à deux de jeu. Il faut bien que tous les individus, tous les êtres soient différens l'un de l'autre. Il n'y a pas là de quoi s'enorgueillir, ou tous y auroient le même droit. Dans la nature, la supériorité ou l'infériorité ne sont pas des choses de droit, mais des choses de fait : celui-là devient supérieur, qui l'emporte sur l'autre. Cet avantage de fait suppose, à la vérité, plus de force d'un côté que d'autre : mais, si l'on veut en venir à ce premier titre, de quel côté sera la supériorité ? A qui croyez-vous qu'elle appartienne, au Corps des Citoyens, ou aux Privilégiés ?

La distinction *par* est, au contraire, le principe social le plus fécond en bonnes actions, en bonnes mœurs, etc. Mais, si son siége est dans l'ame de ceux qui *distinguent*, et non dans la main de celui qui prétend dispenser les distinctions ; si c'est un sentiment de leur part, et ne peut pas être autre chose sans cesser d'être une vérité, il faut dire aussi que ce sentiment est essentiellement libre, et qu'il y a une extrême folie, à qui que soit, de vouloir vous efforciez de le cacher sous l'apparence de l'intérêt public. Ce n'est pas à l'estime ou à l'amour de vos semblables que vous aspirez ; vous n'obéissez au contraire qu'aux irritations d'une vanité hostile contre des hommes dont l'égalité vous blesse. Vous faites, au fond de votre cœur, un reproche à la Nature de n'avoir pas rangé vos Concitoyens dans des espèces inférieures destinées uniquement à vous servir. Pourquoi tout le monde ne partage-t-il pas l'indignation qui m'anime ? Certes, vous étiez loin d'avoir un intérêt personnel à la question qui nous occupe. Il s'agissoit des récompenses à décerner au mérite, et non des châtimens qu'il faudroit, dans un État policé, infliger aux plus perfides ennemis de la félicité sociale.

De ces considérations générales sur les Priviléges honorifiques, descendons maintenant dans leurs *effets*, soit relativement à l'intérêt public, soit relativement à l'intérêt des Privilégiés eux-mêmes.

Au moment où les Ministres impriment

disposer malgré moi de mon estime et de mes hommages.

le caractère de privilégié à un citoyen, ils ouvrent son ame à un intérêt particulier, & la ferment plus ou moins aux inspirations de l'intérêt commun. L'idée de Patrie se resserre pour le privilégié ; elle se renferme dans la caste où il est adopté. Tous ses efforts, auparavant employés avec fruit au service de la chose nationale, vont se tourner contre elle. On vouloit l'encourager à mieux faire ; on n'a réussi qu'à le dépraver.

Alors naît dans son cœur le besoin de primer, un desir insatiable de domination. Ce desir, malheureusement trop analogue à la constitution humaine, est une vraie maladie anti-sociale ; et si par son essence il doit toujours être nuisible, qu'on juge de ses ravages, lorsque l'opinion et la loi viennent lui prêter leur puissant appui.

Pénétrez un moment dans les nouveaux sentimens d'un privilégié. Il se considère avec ses collègues, comme faisant un ordre à part, une nation choisie dans la Nation. Il pense qu'il se doit d'abord à ceux de sa caste, et s'il continue à s'occuper des autres, ce ne sont plus en effet que les *autres*, ce ne sont plus les siens. Ce n'est plus ce corps dont il étoit membre. Ce n'est que le *Peuple*, le Peuple qui bientôt dans son langage, ainsi que dans son cœur, n'est qu'un assemblage de *gens de rien*, une classe d'hommes, créée tout exprès pour servir, au-lieu qu'il est fait, lui, pour commander, et pour jouir.

Oui, les privilégiés en viennent réellement à se regarder comme une autre espèce d'hommes (1). Cette opinion en apparence si exagérée, et qui ne paroît pas renfermée dans la notion du Privilége, en devient insensiblement comme la conséquence naturelle, et finit par s'établir dans tous les esprits. Je le demande à tout privilégié franc et loyal, comme sans doute il s'en trouve : lorsqu'il voit auprès de lui un homme du Peuple, qui n'est pas venu là pour se faire protéger, n'éprouve-t-il pas, le plus souvent, un mouvement involontaire de répulsion, prêt à s'échapper sur le plus léger prétexte, par quelque parole dure, ou quelque geste offensant?

---

(1) Comme je ne veux pas qu'on m'accuse d'exagérer, lisez à la fin une pièce authentique que je tire du procès-verbal de l'Ordre de la Noblesse aux Etats de 1614.

Le faux sentiment d'une supériorité personnelle est tellement cher aux privilégiés, qu'ils veulent l'étendre à tous leurs rapports avec le reste des citoyens. Ils ne *sont point faits* pour être *confondus*, pour être *à côté*, pour concourir, ou se trouver *ensemble*, etc. etc. C'est se *manquer* essentiellement, que de disputer, que de paroître avoir tort, quand on a tort; c'est se *compromettre* même que d'avoir raison avec, etc. etc. . . .

Mais rien n'est plus curieux, à cet égard, que le spectacle qui s'offre dans des campagnes éloignées de la Capitale. C'est-là que le noble sentiment de sa supériorité se nourrit et s'enfle à l'abri de la raison et des passions des villes. Dans les vieux châteaux, le privilégié se respecte mieux, il peut se tenir plus long-temps en extase devant les portraits de ses ancêtres, et s'enivrer plus à loisir de l'honneur de descendre d'hommes qui vivoient dans les treizième et quatorzième siècles; car il ne soupçonne pas qu'un tel avantage puisse être commun à toutes les familles. Dans son opinion, c'est un caractère particulier à certaines races.

Souvent il présente, avec toute la modestie possible, au respect des étrangers, cette suite d'ayeux, dont la vue a si souvent excité en lui les rêves les plus doux. Mais il s'arrête peu sur le père, ou le grand-père, (ces mots ont même je ne sais quoi d'offensant pour la dignité d'une langue privilégiée). Ses ancêtres les plus reculés sont les meilleurs, ils sont les plus près de son amour comme de sa vanité.

J'ai vu de ces longues galeries d'images paternelles. Elles ne sont pas précieuses par l'art du peintre, ni même, il faut l'avouer, par le sentiment de la parenté (1);

(1) Qui n'a pas entendu, dans ces momens, le démonstrateur faire des réflexions aimables sur *celui-ci, qui, en douze-cent et tant, étoit un rude Chrétien : ses Vassaux n'avoient pas beau jeu*, etc....... ; sur *celui-là* (bien entendu qu'on en prononce le nom ancien) *qui, s'étant mal-adroitement engagé dans une trahison, paya de sa tête*, etc... mais toujours en *douze-cent*... Je veux raconter à ce sujet le propos assez récent d'une Dame qui, dans un cercle nombreux et *bien composé*, blâmoit à outrance la conduite criminelle en effet, de quelqu'un d'une des plus grandes Maisons du Royaume. Tout-à-coup, elle s'interrompt pour dire, d'un air difficile à peindre : « Mais, je ne sais pas pourquoi j'en dis tant de mal, » car j'ai *l'honneur* de lui appartenir ».

mais qu'elles sont sublimes par les souvenirs des temps et des mœurs de la *bonne féodalité !*

C'est dans les châteaux qu'on sent avec enthousiasme, ainsi qu'il faut sentir les beaux-arts, tout l'effet d'un arbre généalogique, à rameaux touffus, et à tige élancée. C'est-là qu'on connoît, à n'en rien oublier, même dans les plus petites occasions, tout ce que *vaut* un homme comme il *faut* (1), et le rang dans lequel il faut placer tout le monde.

(1) Je renonce à saisir toutes les nuances, toutes les finesses du langage habituel des Privilégiés. Nous aurions besoin pour cette langue d'un Dictionnaire particulier qui seroit neuf par plus d'un endroit; car, au-lieu d'y présenter le sens propre ou métaphorique des mots, il s'agiroit, au contraire, de détacher des mots leur véritable sens, pour ne rien laisser dessous qu'un vuide pour la raison, mais d'admirables profondeurs pour le préjugé : nous y lirions ce que c'est qu'être Privilégié d'un Privilége qui n'a pas *commencé*. Ceux qui en ont de cette nature, sont *des bons*. Ils sont par la *grace* de Dieu, bien différens de cette foule de nouveaux Privilégiés qui sont par la *grace* du Prince. On ne compte pas des Citoyens qui n'aspirant pas à être par *grace*, sont réduits à ne se montrer que par leurs qualités personnelles : c'est fort

Auprès de ces hautes contemplations, combien paroissent petites et méprisables

---

peu de chose; c'est la Nation. Nous apprendrions dans ce nouveau Dictionnaire, qu'il n'y a de la *naissance* que pour ceux qui n'ont point d'*origine*. Les Privilégiés du Prince, eux-mêmes, n'osent pas penser avoir plus d'une *demi-naissance*, et la Nation n'en a point. Il seroit superflu de remarquer que la naissance dont il s'agit ici, n'est pas celle qui vient d'un père et d'une mère; mais celle que le Prince donne avec un brevet et sa signature, ou mieux encore, celle qui vient de je ne sais où : c'est la plus estimée. Si vous avez cru par exemple, que tout homme a nécessairement son père, son grand-père, ses aïeux, etc., vous vous êtes trompé. A cet égard, la certitude physique ne suffit pas, il n'y a de valable que l'attestation de M. Cherin. Pour être *ancien*, il faut être *des bons*, nous l'avons dit. Les nouveaux Privilégiés sont *des hommes d'hier*; et les Citoyens non-Privilégiés, je ne sais que vous dire, si ce n'est qu'apparemment ils ne sont pas encore nés. Je suis émerveillé, je l'avoue, du talent avec lequel les Privilégiés prolongent à perte de vue, sans jamais se perdre, ces sublimes, quoiqu'incessables conversations. Les plus curieux à entendre, à mon avis, sont ceux qui, constamment à genoux devant leur propre *honneur*, leurs propres prétentions, rient pourtant de si bon cœur des mêmes prétentions chez les autres. Je soutiens que les opinions des Privilégiés sont à la hauteur de leurs sentimens; et, les occupations des *gens* de la ville ! S'il étoit permis d'en prononcer le véritable nom, on pourroit se demander : Qu'est-ce qu'un *Bourgeois* près d'un bon privilégié ? Celui-ci a sans cesse les yeux sur le noble

---

pour en donner une nouvelle preuve, je vais exposer, d'après leur manière de voir, le vrai tableau d'une société politique. Ils la composent de six à sept classes subordonnées les unes aux autres. Dans la première, sont *les grands Seigneurs*, c'est-à-dire, cette partie des gens de la Cour, en qui sont réunies la naissance, une grande place et l'opulence. La seconde classe comprend les *Présentés* connus, ceux qui *paroissent* : ce sont les gens de *Qualité*. En troisième ligne, viennent les *Présentés* inconnus, qui n'en vouloient qu'aux honneurs de la Gazette : ce sont les gens de *quelque chose*. 4°. On confond dans la classe des *non-Présentés*, qui peuvent cependant être *bons*, tous les *Gentilhâtres* de Province : c'est l'expression dont ils se servent. Dans la cinquième classe, il faut mettre les *Anoblis* un peu anciens, ou gens *de néant*. Dans la sixième, se présentent ou plutôt sont relégués les nouveaux *Anoblis* ou gens *moins que rien*. Enfin, et pour ne rien oublier, on veut bien laisser dans une septième division, le reste des Citoyens, qu'il n'est pas possible de caractériser autrement que par des injures. Tel est l'ordre social pour le préjugé régnant, et je ne dis rien de nouveau, que pour ceux qui ne sont pas de ce monde.

temps *passé*. Il y voit tous ses titres; toute sa force, il vit de ses ancêtres. Le Bourgeois au contraire, les yeux toujours fixés sur l'ignoble *présent*, sur l'indifférent *avenir*, prépare l'un, et soutient l'autre par les ressources de son industrie. Il est, au-lieu d'avoir été; il essuye la peine, et qui pis est, la honte d'employer toute son intelligence, toute sa force à notre service actuel, et de vivre de son travail nécessaire à tous. Ah! pourquoi le privilégié ne peut-il aller dans le *passé* jouir de ses titres, de ses grandeurs, et laisser à une stupide Nation le *présent* avec toute son ignobilité!

Un bon privilégié se complaît en lui-même, autant qu'il méprise les autres. Il caresse, il idolâtre sérieusement sa dignité personnelle; et quoique tout l'effort d'une telle superstition ne puisse prêter à d'aussi ridicules erreurs, le moindre degré de réalité, elles n'en remplissent pas moins toute la capacité de son ame; le privilégié s'y abandonne avec autant de conviction, avec autant d'amour, que le fou du Pyrée croyoit à sa chimère.

La vanité qui pour l'ordinaire est individuelle, et se plaît à s'isoler, se transforme ici promptement en un esprit de corps indomptable. Un privilégié vient-il à éprouver la moindre difficulté de la part de la classe qu'il méprise ; d'abord il s'irrite ; il se sent blessé dans sa prérogative, il croit l'être dans son bien, dans sa propriété ; bientôt il excite, il enflamme tous ses co-privilégiés, et il vient à bout de former une confédération terrible, prête à tout sacrifier pour le maintien, puis pour l'accroissement de son odieuse prérogative. C'est ainsi que l'ordre politique se renverse, et ne laisse plus voir qu'un détestable aristocracisme.

Cependant, dira-t-on, on est poli dans la société avec les non-privilégiés, comme avec les autres. Ce n'est pas moi qui ai remarqué, le premier, le caractère de la politesse françoise. Le privilégié françois n'est pas poli, parce qu'il croit le *devoir* aux autres, mais parce qu'il croit *se* le *devoir* à lui-même. Ce n'est pas les droits d'autrui qu'il respecte, c'est soi, c'est sa dignité. Il ne veut point être confondu, par des manières vulgaires, avec ce qu'il nomme *mauvaise compagnie*. Que dirai-je ! Il craindroit que l'objet de sa politesse ne le prît pour un *non-privilégié comme lui.*

Ah ! gardez-vous de vous laisser séduire par des apparences grimacières et trompeuses ; ayez le bon esprit de ne voir en elles, que ce qui y est, un orgueilleux attribut de ces mêmes Priviléges que nous détestons.

Pour expliquer la soif ardente d'acquérir des Privileges, on pensera peut-être, que du moins, au prix du bonheur public, il s'est composé, en faveur des privilégiés, un genre de félicité particulière, dans le charme enivrant de cette supériorité dont le petit nombre jouit, auquel un grand nombre aspire, et dont les autres sont réduits à se venger par les ressources de l'envie ou de la haine.

Mais oublieroit-on que la Nature n'imposa jamais des loix impuissantes ou vaines ; qu'elle a arrêté de ne départir le bonheur aux hommes que dans l'égalité ; et que c'est un échange perfide que celui qui est offert par la vanité, contre cette multitude de sentimens naturels dont la félicité réelle se compose ?

Écoutons là-dessus notre propre expérience (1), ouvrons les yeux sur celle de tous les grands Privilégiés, de tous les grands

---

(1) La société est pour tous ceux que le sort n'a pas condamnés à un travail sans relâche, une source pure et féconde de jouissances agréables : on le sent, et le peuple qui se croit le plus civilisé, se vante aussi d'avoir la meilleure société. Où doit être la meilleure société ? Là, sans doute, où les hommes qui se conviendroient le mieux, pourroient se rapprocher librement, et ceux qui ne se conviendroient pas, se séparer sans obstacle ; là où, dans un nombre donné d'hommes, il y en auroit davantage qui posséderoient les talens et l'esprit de société, et où le choix, parmi eux, ne seroit embarrassé d'aucune considération étrangère au but qu'on se propose en se réunissant. Qu'on dise si les préjugés d'état ne s'opposent point de toutes manières à cet arrangement si simple ? Combien de maîtresses de maisons sont forcées d'éloigner les hommes qui les intéresseroient le plus, par égard pour les hauts Privilégiés qui les ennuyent ! Vous avez beau, dans vos sociétés si vantées et si insipides, *singer* cette égalité dont vous ne pouvez vous dispenser de sentir l'absolue nécessité. Ce n'est pas dans des instans passagers que les hommes peuvent se modifier intérieurement, au point de devenir les uns pour les autres tout ce qu'ils seroient sans doute, si l'égalité étoit la réalité de toute la vie, plutôt que le jeu de quelques momens. Cette matière seroit inépuisable : je ne puis qu'indiquer quelques vues.

Mandataires que leur état expose à jouir, dans les Provinces, des prétendus charmes de la supériorité. Elle fait tout pour eux, cette supériorité; cependant ils se trouvent seuls, l'ennui fatigue leur ame, et venge les droits de la nature. Voyez à l'ardeur impatiente avec laquelle ils reviennent chercher des égaux dans la Capitale, combien il est insensé de semer continuellement sur le terrein de la vanité, pour n'y recueillir que les ronces de l'orgueil, ou les pavots de l'ennui.

Nous ne confondons point avec la supériorité absurde et chimérique qui est l'ouvrage des Privilégiès, cette supériorité légale qui suppose seulement des gouvernans et des gouvernés. Celle-ci est réelle; elle est nécessaire. Elle n'enorgueillit pas les uns, elle n'humilie pas les autres : c'est une supériorité de fonctions, et non de personnes; or, puisque cette supériorité même ne peut dédommager des douceurs de l'égalité, que doit-on penser de la chimère dont se repaissent les simples Privilégiés?

Ah! si les hommes vouloient connoître leurs intérêts; s'ils savoient faire quelque chose pour leur bonheur! S'ils consentoient à ouvrir enfin les yeux sur la cruelle imprudence qui leur a fait dédaigner si long-temps les droits de Citoyens libres, pour les vains Priviléges de la servitude ; comme ils se hâteroient d'abjurer les nombreuses vanités auxquelles ils ont été dressés dès l'enfance ! Comme ils se méfieroient d'un ordre de choses qui s'allie si-bien avec le despotisme ! Les droits de Citoyen embrassent tout; les Priviléges gâtent tout et ne dédommagent de rien, que chez des esclaves.

Jusqu'à présent j'ai confondu tous les Priviléges, ceux qui sont héréditaires avec ceux que l'on obtient soi-même ; ce n'est pas qu'ils soient tous également nuisibles, également dangereux dans l'état social. S'il y a des places dans l'ordre des maux et de l'absurdité, sans doute les Priviléges héréditaires y doivent occuper la première, et je n'abaisserai pas ma raison jusqu'à prouver une vérité si palpable. Faire d'un Privilége une propriété transmissible, c'est vouloir s'ôter jusqu'aux foibles prétextes par lesquels on cherche à justifier la concession des Priviléges; c'est renverser tout principe, toute raison.

D'autres observations jeteront un nouveau jour sur les funestes effets des Priviléges. Remarquons auparavant une vérité générale : c'est qu'une fausse idée n'a besoin que d'être fécondée par l'intérêt personnel, et soutenue de l'exemple de quelques siècles pour corrompre à la fin tout l'entendement. Insensiblement, et de préjugés en préjugés, on tombe daus un corps de doctrine qui présente l'extrême de la déraison, et ce qu'il y a de plus révoltant, sans que la longue et superstitieuse crédulité des Peuples en soit plus ébranlée.

Ainsi, voyons-nous s'élever sous nos yeux, et sans que la Nation songe même à réclamer, de nombreux essaims de Privilégiés, dans une forte et presque religieuse persuasion qu'ils ont un droit acquis aux honneurs, par leur naissance, et à une portion du tribut des Peuples, par cela seul qu'ils continuent de vivre. C'est pour eux un titre suffisant.

Ce n'étoit pas assez, en effet, que les Privilégiés se regardassent comme une autre espèce d'hommes; ils devoient se considérer modestement, et presque de bonne-foi, eux et leurs descendans, comme un *besoin* des Peuples, non, comme fonctionnaires de la chose publique; à ce titre, ils ressembleroient à l'universalité des Mandataires publics, de quelque classe qu'on les tire. C'est comme formant un Corps privilégié, qu'ils s'imaginent être nécessaires à toute société qui vit sous un régime Monarchique. Sils parlent aux Chefs du Gouvernement, ou au Monarque lui-même, ils se représentent comme l'appui du Trône, et ses défenseurs naturels contre le Peuple; si au contraire ils parlent à la Nation, ils deviennent alors les vrais défenseurs d'un Peuple qui, sans eux, seroit bientôt écrasé par la Royauté.

Avec un peu plus de lumières, le Gouvernement verroit qu'il ne faut dans une société que des Citoyens vivant et agissant sous la protection de la loi, et une autorité tutélaire chargée de veiller et de protéger. La seule hiérarchie nécessaire, nous l'avons dit, s'établit entre les agens de la Souveraineté; c'est là qu'on a besoin d'une gradation de pouvoirs, c'est là que se trouvent les vrais rapports d'inférieur à supérieur, parce que la machine publique ne peut se mouvoir qu'au moyen de cette correspondance.

Hors de-là, il n'y a que des Citoyens égaux devant la loi, tous dépendans, non les uns des autres, ce seroit une servitude inutile, mais de l'autorité qui les protége, qui les juge, qui les défend, etc. Celui qui jouit des plus grandes possessions, n'est pas *plus* que celui qui jouit de son salaire journalier. Si le riche paye plus de contributions, il offre plus de propriétés à protéger. Mais le denier du pauvre seroit-il moins précieux? son droit moins respectable? et sa personne ne doit-elle pas reposer sous une protection au moins égale?

C'est en confondant ces notions simples, que les Privilégiés parlent sans cesse de la nécessité d'une subordination étrangère à celle qui nous soumet au gouvernement et à la loi. L'esprit militaire veut juger des rapports civils, et ne voit une nation que comme une grande caserne. Dans une brochure nouvelle n'a-t-on pas osé établir une comparaison entre le soldats et les officiers d'un côté, et de l'autre, les Privilégiés et les non-Privilégiés ! Si vous consultiez l'esprit monacal, qui a tant de rapport avec l'esprit militaire, il prononceroit aussi qu'il n'y aura de l'ordre dans une nation que quand on l'aura soumise à cette foule de règlemens de détail avec lesquels il maîtrise ses nombreuses victimes. L'esprit monacal conserve parmi nous, sous un nom moins avili, plus de faveur qu'on ne pense.

Disons-le tout-à-fait : des vues aussi mesquines, aussi misérables, ne peuvent appartenir qu'à des gens qui ne connoissent rien aux vrais rapports qui lient les hommes dans l'état social. Un Citoyen, quel qu'il soit, qui n'est point mandataire de l'autorité, est entièrement le maître de ne s'occuper qu'à améliorer son sort, et à jouir de ses droits, sans blesser les droits d'autrui, c'est-à-dire, sans manquer à la loi. Tous les rapports de Citoyen à Citoyen sont des rapports libres. L'un donne son temps ou sa marchandise, l'autre rend en échange son argent; il n'y a point là de subordination, mais échange continuel..... (1). Si dans

(1) Je crois important pour la facilité de la conversation, de distinguer les deux hiérarchies dont nous venons de parler, par les noms de *vraie* et de *fausse* hiérarchie. La gradation entre les gouvernans et l'obéissance des gouvernés envers les différens pouvoirs légaux, forment la véritable hiérarchie nécessaire dans toutes les sociétés. Celle des gouvernés, entr'eux, n'est qu'une fausse hiérarchie, inutile, odieuse, reste informe de coutumes féodales. Pour concevoir une subordination possible entre les gouvernés, il faudroit supposer une troupe armée, s'emparant d'un pays, se

votre étroite politique, vous distinguez un Corps de Citoyens pour le mettre entre le

---

rendant propriétaire, et conservant, pour la défense commune, les rapports habitués de la discipline militaire. C'est que là, le Gouvernement est fondu dans l'état civil : ce n'est pas un peuple, c'est une armée. Chez nous, au contraire, les différentes branches du pouvoir public, existent à part, et sont organisées, y compris une armée immense, de manière à n'exiger des simples citoyens, qu'une contribution pour acquitter les charges publiques. Qu'on ne s'y trompe point : au milieu de tous ces noms de *subordination*, de *dépendance*, *etc.*, que les Privilégiés invoquent avec tant de clameur, ce n'est pas l'intérêt de la véritable subordination qui les conduit, ils ne font cas que de la *fausse* hiérarchie ; c'est celle-ci qu'ils voudroient rétablir sur les débris de la véritable. Ecoutez-les lorsqu'ils parlent des agens ordinaires du Gouvernement ; voyez avec quel dédain un bon Privilégié croit devoir les traiter. Que voient-ils dans un Lieutenant-de-Police ? Un homme de peu ou de rien, établi pour faire peur au Peuple, et non pour se mêler de tout ce qui peut regarder les gens *comme il faut*. L'exemple que je cite, est à la portée de tout le monde. Qu'on dise de bonne foi, s'il est un seul Privilégié qui se croye subordonné au Lieutenant-de-Police ? Comment regardent-ils les autres mandataires des différentes branches du pouvoir exécutif, excepté les seuls chefs militaires ? Est-il si rare de les entendre dire : « Je ne suis pas *fait pour*

Gouvernement et les peuples, ou ce corps partagera les fonctions du Gouvernement, et alors ce ne sera pas la classe privilégiée dont nous parlons, ou bien il n'appartiendra pas aux fonctions essentielles du pouvoir public, et alors qu'on m'explique ce que peut être un corps intermédiaire, si ce n'est une masse étrangère, nuisible, soit en interceptant les rapports directs entre les gouvernans et les gouvernés, soit en pressant sur les ressorts de la machine publique, soit enfin en devenant, par tout ce qui la distingue du grand corps des Citoyens, un fardeau de plus pour la Communauté.

Toutes les classes de Citoyens ont leurs fonctions, leur genre de travail particulier, dont l'ensemble forme le mouvement général de la société. S'il en est une qui prétende se soustraire à cette loi générale, on voit bien qu'elle ne se contente

---

» me soumettre au Ministre : si le Roi me fait l'hon-
» neur de me donner des ordres, etc. ». J'abandonne ce sujet à l'imagination, ou plutôt à l'expérience du lecteur. Mais il étoit bon de faire remarquer que les véritables ennemis de la subordination et de la vraie hiérarchie, ce sont ces hommes-là même qui prêchent avec tant d'ardeur la soumission à la *fausse* hiérarchie.

pas d'être inutile, et qu'il faut nécessairement qu'elle soit à charge aux autres.

Quels sont les deux grands mobiles de la société? l'*argent* et l'*honneur*. C'est par le besoin que l'on a de l'un et de l'autre qu'elle se soutient, et ce n'est pas l'un sans l'autre que ces deux besoins doivent se faire sentir dans une nation où l'on connoît le prix des bonnes mœurs. Le desir de mériter l'estime publique, et il en est une pour chaque profession, est un frein nécessaire à la passion des richesses. Il faut voir comment ces deux sentimens se modifient dans la classe privilégiée.

Dabord, l'*honneur* lui est assuré; c'est son appanage certain. Que pour les autres Citoyens, l'honneur soit le prix de la conduite, à la bonne heure. Mais aux Privilégiés, il a suffi de naître. Ce n'est pas à eux à sentir le besoin de l'acquérir, et ils peuvent renoncer d'avance à tout qui tend à le mériter (1).

Quant à l'*argent*, les Privilégiés, il est

(1) On doit s'appercevoir que nous ne confondons pas ici l'honneur, avec le *point d'honneur* par lequel on a cru le remplacer.

vrai, doivent en sentir vivement le besoin. Ils sont même plus exposés à se livrer aux inspiratious de cette passion ardente, parce que le préjugé de leur supériorité les excite sans cesse à forcer leur dépense, et parce qu'en s'y livrant, ils n'ont pas à craindre, comme les autres, de perdre tout honneur, toute considération.

Mais par une contradiction bizarre, en même temps que le préjugé d'état pousse continuellement le Privilégié à déranger sa fortune, il lui interdit impérieusement presque toutes les voies honnêtes par où il pourroit parvenir à la réparer.

Quel moyen restera-t-il donc aux Privilégiés pour satisfaire cet amour de l'argent, qui doit les dominer plus que les autres? L'*intrigue* et la *mendicité*. L'intrigue et la mendicité deviendront l'*industrie* particulière de cette classe de Citoyens : ils sembleront en quelque sorte, par ces deux professions, reprendre une place dans l'ensemble des travaux de la société. S'y attachant exclusivement, ils y excelleront; ainsi, par-tout où ce double talent pourra s'exercer avec fruit, soyez sûr qu'ils s'établiront de manière à écarter toute concurrence de la part des non-Privilégiés.

Ils rempliront la Cour, ils assiégeront les Ministres, ils accapareront toutes les graces, toutes les pensions, tous les bénéfices. L'*intrigue* jette à-la-fois un regard usurpateur sur l'Eglise, la Robe et l'Epée. Elle découvre un revenu considérable, ou un pouvoir qui y mène, attachés à une multitude innombrable de places, et bientôt elle parvient à faire considérer ces places comme des postes à argent, établis, non pour remplir des fonctions qui exigent des talens, mais pour assurer un état *convenable* à des familles privilégiées.

Ces hommes habiles ne se rassureront pas sur leur supériorité dans l'art de l'intrigue; comme s'ils craignoient que l'amour du bien public ne vînt dans des momens de distraction, à séduire le Ministère, ils profiteront à propos de l'ineptie ou de la trahison de quelques Administrateurs; ils feront enfin consacrer leur monopole par de bonnes Ordonnances, ou par un régime d'administration équivalent à une loi exclusive.

C'est ainsi qu'on dévoue l'Etat aux principes les plus destructeurs de toute économie publique. Elle a beau prescrire de préférer en toutes choses, les serviteurs les plus habiles et les moins chers : le monopole commande de choisir les plus coûteux, et nécessairement les moins habiles, puisque le monopole a pour effet connu d'arrêter l'essor de ceux qui auroient pu montrer des talens dans une concurrence libre.

La *mendicité* privilégiée a moins d'inconvéniens pour la chose publique. C'est une branche gourmande, qui attire le plus de sève qu'elle peut, mais au moins elle ne prétend pas à remplacer les rameaux utiles. Elle consiste, comme toute autre mendicité, à tendre la main en s'efforçant d'exciter la compassion, et à recevoir gratuitement; seulement la posture est moins humiliante; elle semble, quand il le faut, dicter un devoir, plutôt qu'implorer un secours.

Au reste, il a suffi pour l'opinion, que l'intrigue et la mendicité dont il s'agit ici, fussent spécialement affectées à la classe privilégiée, pour qu'elles devinssent honorables et honorées; chacun est bien venu à se vanter hautement de ses succès en ce genre ; ils inspirent l'envie, l'émulation, jamais le mépris.

Ce genre de mendicité s'exerce principalement à la Cour, où les hommes les plus puissans et les plus opulens en tirent le premier et le plus grand parti.

De là cet exemple fécond va ranimer jusques dans le fond le plus reculé des Provinces, la prétention honorable de vivre dans l'oisiveté et aux dépens du Public.

Ce n'est pas que l'ordre Privilégié ne soit déjà, et sans aucune espèce de comparaison, le plus riche du Royaume ; que presque toutes les terres et les grandes fortunes n'appartiennent aux membres de cette classe ; mais le goût de la dépense, et le plaisir de se ruiner, sont supérieurs à toute richesse ; et il faut enfin qu'il y ait de pauvres Privilégiés.

Mais à peine on entend le mot de *pauvre* s'unir à celui de *Privilégié*, qu'il s'élève par-tout comme un cri d'indignation. Un Privilégié hors d'état de soutenir son nom, son rang, est certes une honte pour la Nation ! il faut se hâter de remédier à ce désordre public ; et quoiqu'on ne demande pas expressément pour cela un excédent de contribution, il est bien clair que tout emploi des deniers publics ne peut avoir d'autre origine.

Ce n'est pas vainement que l'Administration est composée de Privilégiés. Elle veille avec une tendresse paternelle à tous leurs intérêts. Ici, ce sont des établissemens pompeux, vantés, comme l'on croit, de toute l'Europe, pour donner l'éducation *aux pauvres Privilégiés*, de l'un et de l'autre sexe. Inutilement le hasard se montroit plus sage que vos institutions, et vouloit ramener ceux qui ont besoin, à la loi commune de travailler pour vivre. Vous ne voyez dans ce retour au bon ordre qu'un crime de la fortune ; et vous vous gardez bien de donner à vos élèves les habitudes d'une profession laborieuse, capable de faire vivre celui qui l'exerce.

Dans vos admirables desseins, vous allez jusqu'à leur inspirer une sorte d'orgueil d'avoir été, de si bonne heure, à charge au Public : comme si dans aucun cas, il pouvoit être plus glorieux de recevoir la charité que de n'en avoir pas besoin !

Vous les récompensez encore par des

secours d'argent, par des pensions, par des cordons, d'avoir été exposés à goûter ce premier gage de votre tendresse.

A peine sortis de l'enfance, les jeunes Privilégiés ont déjà un état et des appointemens ; et on ose les plaindre de leur modicité ! Voyez cependant parmi les non-Privilégiés du même âge, qui se destinent aux professions pour lesquelles il faut des talens et de l'étude ; voyez s'il en est un seul qui, bien qu'attaché à des occupations vraiment pénibles, ne coûte long-temps encore à ses parens de grandes avances, avant qu'il soit admis à la chance incertaine de retirer de ses long travaux, le nécessaire de la vie !

Toutes les portes sont ouvertes à la sollicitation des Privilégiés. Il leur suffit de se montrer, et tout le monde se fait honneur de s'intéresser à leur avancement. On s'occupe avec chaleur de leurs affaires, de leur fortune. L'Etat lui-même, oui, la chose publique mille fois a concouru secrètement à leurs arrangemens de famille.

On l'a mêlée dans des négociations particulières de mariage. L'Administration s'est prêtée à des créations de places, à des échanges ruineux, ou même à des acquisitions dont le trésor public a été forcé de fournir les fonds, &c. &c.

Les Privilégiés qui ne peuvent atteindre à ces hautes faveurs, trouvent ailleurs d'abondantes ressources. Une foule de Chapitres pour l'un et l'autre sexe, des Ordres militaires sans objet, ou dont l'objet est injuste et dangereux, leur offrent des prébendes, des commanderies, des pensions, et toujours des décorations. Et comme si ce n'étoit pas assez des fautes de nos pères, on s'occupe avec un renouvellement d'ardeur depuis quelques années, d'augmenter le nombre de ces brillantes soldes de l'inutilité (1).

---

(1) Il se manifeste une étrange contradiction dans la conduite du Gouvernement. Il aide, d'un côté, à déclamer sans mesure contre les biens consacrés au culte, et qui dispensent au moins le trésor national de payer cette partie des fonctions publiques, et il cherche en même temps à dévouer le plus qu'il peut de ces biens, et d'autres, à la classe des Privilégiés sans fonctions. Il est curieux de lire la liste des chapitres nouvellement créés, ou divertis à l'usage des Privilégiés de l'un et l'autre sexe : plus curieux encore, de connoître les motifs secrets qui ont porté à manquer

Ce seroit une erreur de croire que la mendicité privilégiée dédaigne les petites occasions, ou les petits secours. Les fonds destinés aux aumônes du Roi sont en grande partie absorbés par elle ; et pour se dire pauvre dans l'ordre des Privilégiés, on n'attend pas que la nature patisse, il suffit que la vanité souffre. Ainsi, la véritable indigence de toutes les classes de Citoyens est sacrifiée à des besoins de vanité.

En remontant un peu avant dans l'histoire, on voit les Privilégiés dans l'usage de ravir et de s'attribuer tout ce qui peut leur convenir. La violence et la rapine, sûres de l'impunité, pouvoient sans doute se passer de mendier ; ainsi, la mendicité privilégiée n'a dû commencer qu'avec les premiers rayons de l'ordre public, ce qui prouve sa grande différence d'avec la mendicité du Peuple. Celle-ci se manifeste à mesure que le Gouvernement se gâte, l'autre à mesure qu'il s'améliore. Il est vrai qu'avec quelques

---

ainsi sans pudeur au véritable esprit des fondations ecclésiastiques, qui, si elles doivent être modifiées, ne doivent l'être au moins que pour un intérêt vraiment national, et par la Nation seule.

progrès de plus, il fera cesser à la fois ces deux maladies sociales ; mais certes, ce ne sera pas en les alimentant, ni sur-tout, en faisant honorer celle des deux qui est la plus inexcusable.

On ne peut disconvenir qu'il n'y ait une prodigieuse habileté à dérober à la compassion ce qu'on ne peut plus arracher à la foiblesse ; à mettre ainsi à profit tantôt l'audace de l'oppresseur, tantôt la sensibilité de l'opprimé. La classe privilégiée, à cet égard, a su se distinguer de l'une et de l'autre manière. Du moment qu'elle n'a plus réussi à prendre de force, elle s'est hâtée, en toute occasion, de se recommander à la libéralité du Roi et de la Nation.

Les cahiers des anciens États-Généraux, ceux des anciennes Assemblées de Notables sont pleins de demandes en faveur de la *pauvre classe privilégiée* (1). Les Pays-d'Etats

(1) Aujourd'hui que les principes de justice générale sont plus répandus, et que les assemblées de Bailliages auront de si grands objets à traiter, on peut espérer sans doute, qu'elles ne saliront pas leurs cahiers de ce qu'on pouvoit appeler autrefois *le couplet du mendiant.*

s'occupent depuis long-temps, et toujours avec un zèle nouveau, de tout ce qui peut accroître le nombre des pensions qu'ils ont sçu attribuer *à la pauvre classe privilégiée.* Les Administrations Provinciales suivent déjà de si nobles traces, et les trois Ordres en commun, parce qu'ils ne sont encore composés que de Privilégiés, écoutent avec une respectueuse approbation tous les avis qui peuvent tendre à soulager *la pauvre classe privilégiée.* Les Intendans se sont procuré des fonds particuliers pour cet objet ; un moyen de succès pour eux est de prendre un vif intérêt au triste sort de *la pauvre classe privilégiée* ; enfin, dans les Livres, dans les Chaires, dans les Discours Académiques, dans les Conversations, et par-tout, voulez-vous intéresser à l'instant tous vos Auditeurs ; il n'y a qu'à parler de *la pauvre classe privilégiée.* A voir cette pente générale des esprits, et les innombrables moyens que la superstition, à qui rien n'est impossible, s'est déjà ménagés, pour secourir les pauvres privilégiés, en vérité je ne puis m'expliquer pourquoi on n'a pas encore ajouté à la porte des Eglises, s'il n'existe déjà, un tronc pour *la pauvre classe privilégiée* (1).

Il faut encore citer ici un genre de trafic inépuisable en richesses, pour les Privilégiés. Il est fondé, d'une part, sur la superstition des noms, de l'autre, sur une cupidité plus puissante encore que la vanité. Je parle de ce qu'on ose appeler des *Mésalliances* (2), sans que ce terme ait pu décourager les stupides Citoyens qui payent si cher pour se faire insulter.

Dès-qu'à force de travail et d'industrie, quelqu'un de l'ordre commun a élevé une fortune digne d'envie ; dès-que les agens du fisc, par des moyens plus faciles, sont parvenus à entasser des trésors, toutes ces richesses sont aspirées par les Privilégiés.

---

(1) Je m'attends bien que l'on trouvera cet endroit *de mauvais ton*. Cela doit être : le pouvoir de proscrire, sur ce prétexte, des expressions exactes, souvent même énergiques, est encore un droit des Privilégiés.

(2) On devroit bien, ne fût-ce que pour la clarté du langage, se servir d'un autre mot pour désigner l'action de tendre la main aux riches offrandes de la sottise : il faudroit un mot qui marquât clairement aussi de quel côté est la *mésalliance*.

Il semble que notre malheureuse Nation soit condamnée à travailler et à s'appauvrir sans cesse pour la classe privilégiée.

Inutilement l'agriculture, les fabriques, le commerce, et tous les arts réclament-ils, pour se soutenir, pour s'agrandir, et pour la prospérité publique, une partie des capitaux immenses qu'ils ont servi à former : les Privilégiés engloutissent et les capitaux et les personnes ; tout est voué sans retour à la stérilité privilégiée (1).

La matière des Priviléges est inépuisable comme les préjugés qui conspirent à les soutenir. Mais laissons ce sujet, et épargnons-nous les réflexions qu'il inspire. Un temps viendra, où nos neveux indignés resteront stupéfaits à la lecture de notre histoire, et donneront à la plus inconcevable démence, les noms qu'elle mérite. Nous avons vu, dans notre jeunesse, des hommes de Lettres se signaler par leur courage à attaquer des opinions aussi puis-

(1) Si l'*honneur* est, comme l'on dit, le *principe* de la Monarchie, il faut convenir au moins que la France fait depuis long-tems de terribles sacrifices pour se fortifier en *principe*.

santes que pernicieuses à l'humanité. Aujourd'hui, leurs successeurs ne savent que répéter dans leurs propos et dans leurs écrits des raisonnemens surannés contre des préjugés qui n'existent plus. Le préjugé qui soutient les Priviléges, est le plus funeste qui ait affligé la terre ; il s'est plus intimement lié avec l'organisation sociale ; il la corrompt plus profondément ; plus d'intérêts s'occupent à le défendre. Que de motifs pour exciter le zèle des vrais patriotes, et pour refroidir celui des gens de Lettres nos contemporains !

NOTE RELATIVE A LA PAGE 16.

Extrait du Procès-verbal de la Noblesse, aux États de 1614, page 113.

Du mardi 25 Novembre : « & ayant eu audience, M. de Senecey (1) parla au Roi en cette sorte :

SIRE,

« La bonté de nos Rois a concédé de tout temps cette liberté à leur Noblesse, que de recourir à eux en toutes sortes d'occasions, l'éminence de leur qualité les ayant approchés auprès de leurs personnes, qu'ils ont toujours été les principaux exécuteurs de leurs royales actions.

« Je n'aurois jamais fait de rapporter à V. M. tout ce que l'antiquité nous apprend que la naissance a donné de prééminences

(1) M. le Baron de Senecey étoit Président de la Noblesse.

à cet Ordre, et avec telle différence de ce qui est de tout le reste du Peuple, qu'elle n'en a jamais pu souffrir aucune sorte de comparaison. Je pourrois, SIRE, m'étendre en ce discours; mais une vérité si claire n'a pas besoin de témoignage plus certain que ce qui est connu de tout le monde.....; et puis je parle devant le Roi; lequel, nous espérons trouver aussi jaloux de nous conserver en ce que nous participons de son lustre, que nous saurions l'être de l'en requérir et supplier, bien marris qu'une nouveauté extraordinaire nous ouvre la bouche plutôt aux plaintes qu'aux très-humbles supplications pour lesquelles nous sommes assemblés.

« SIRE, Votre Majesté a eu pour agréable de convoquer les Etats-Généraux des trois Ordres de votre Royaume, Ordres destinés et séparés entre eux de fonctions et de qualités. L'Eglise, vouée au service de Dieu et au régime des ames, y tient le premier rang; nous en honorons les Prélats et Ministres comme nos pères, et comme médiateurs de notre réconciliation avec Dieu.

« La Noblesse, SIRE, y tient le second rang. Elle est le bras droit de votre justice, le soutien de votre Couronne, et les forces invincibles de l'Etat.

« Sous les heureux auspices et valeureuse conduite des Rois, au prix de leur sang, et par l'emploi de leurs armes victorieuses, la tranquillité publique a été établie, et par leurs peines et travaux, le Tiers-Etat va jouissant des commodités que la paix leur apporte.

» Cet Ordre, Sire, qui tient le dernier rang en cette Assemblée, Ordre composé du Peuple, des villes et des champs, ces derniers sont quasi tous hommagers et justiciables des deux premiers Ordres; ceux des villes, Bourgeois, Marchands, Artisans, et quelques Officiers. Ce sont ceux-ci qui méconnoissent leur condition, et oubliant toute sorte de devoirs, sans aveu de ceux qu'ils représentent, se veulent comparer à nous.

» J'ai honte, Sire, de vous dire les termes qui de nouveau nous ont offensés. Ils comparent votre Etat à une famille composée de trois frères. Ile disent l'Ordre Eclésiastique être l'aîné, le nôtre le puîné, *et eux les cadets* (1).

---

(1) Telle est l'injure dont la Noblesse demande

» En quelle misérable condition sommes-nous tombés, si cette parole est véritable! En quoi tant de services rendus d'un temps immémorial, tant d'honneurs et de dignités transmises héréditairement à la Noblesse et mérités par leurs labeurs et fidélité l'auroient-elle bien, au-lieu de l'élever, tellement rabaissée, qu'elle fût avec le vulgaire, en la plus étroite sorte de société qui soit parmi les hommes, qui est la fraternité. Et non contens de se dire frères, ils s'attribuent la restauration de l'Etat, à quoi, comme la France sait assez qu'ils n'ont aucunement participé, aussi chacun connoît qu'ils ne peuvent en aucune façon se comparer à nous, et seroit insupportable une entreprise si mal fondée.

---

vengeance. La veille, le Lieutenant-civil, à la tête d'une députation du Tiers-Etat, avoit osé dire : « Traitez-nous comme vos frères cadets, et nous vous « honorerons et aimerons ». Toute cette tracasserie doit être lue dans le Procès-verbal même, à commencer par le Discours du Président Savaron qui en fut le prétexte. On trouvera dans la Réponse du Baron de Senecey à la députation du Tiers, du 24 Novembre, des expressions plus outrageantes encore que celles quiremplissent le Discours au Roi.

» Rendez, SIRE, le jugement, et par une déclaration pleine de justice, faites-les mettre en leurs devoirs, et reconnoître ce que nous sommes, et la différence qu'il y a. Nous en supplions très-humblement Votre Majesté au nom de toute la Noblesse de France, puisque c'est d'elle que nous sommes ici députés, afin que, conservée en ses prééminences, elle porte, comme elle a toujours fait, son honneur et sa vie au service de Votre Majesté ».

« *Ecquid sentitis in quanto contemptu vivatis? Lucis vobis hujus partem, si liceat, adimant. Quod spiratis, quod vocem mittitis, quod formas hominum habetis indignantur* ».

Liv. lib. 4, c. 56.

FIN.

Imprimé en France
FROC021834210120
23239FR00023B/488/P

9 782329 356808